© Editions Fleurus, 1995
Dépôt légal, septembre 1995
ISBN 2.215.03133.6
Imprimé en Italie

L'imagerie des loisirs

Conception et texte :
Émilie Beaumont

Marie-Renée Pimont
Institutrice d'école maternelle.

Images :
Noëlle Le Guillouzic

FLEURUS
ENFANTS

ÉDITIONS FLEURUS, 11, rue Duguay-Trouin 75006 PARIS

VACANCES
A LA MER

VISITE LE PORT

Attends la fin de l'après-midi pour visiter le port. Tu verras les bateaux de pêche rentrer et les marins décharger le poisson.

Retrouve chaque numéro sur la grande image :

1 – L'entrée du port.
2 – La jetée.
3 – Le phare.
4 – Le port de plaisance.

5 – Un voilier.
6 – Un petit chalutier.
7 – Les marins déchargent le poisson.

8 – Ce bateau est dans une cale sèche pour être réparé.
9 – Le cargo apporte des marchandises qu'il faut décharger.
10 – Les pêcheurs réparent les filets.
11 – Une barque.
12 – Les bateaux sont amarrés au quai.
13 – Le quai.
14 – Un camion frigorifique.
15 – Une grue.
16 – Une bitte d'amarrage.

DÉCOUVRE LA PLAGE

Sur cette grande image et dans les pages qui suivent,
tu trouveras des idées pour te distraire pendant tes vacances.

Retrouve chaque numéro sur la grande image :

1 – Un parasol.
2 – Le maître-nageur surveille
la plage avec des jumelles.
3 – Les cabines de bain.

4 – Drapeau vert : baignade
autorisée. Drapeau rouge :
baignade interdite.
5 – Un bateau pneumatique.

6 – Les sportifs font du surf, du ski nautique et de la planche à voile.

7 – Au mini-club, les enfants font du trampoline.

8 – Les bouées délimitent la zone de baignade.

9 – Un cerf-volant.

10 – En attendant que la mer remonte, les enfants font un château de sable.

11 – Que préfères-tu : la pêche à la crevette ou la pêche à la ligne ?

12 – Les rochers.

13 – Une bouée.

ESSAIE DE TROUVER CES OISEAUX

Tu rencontreras les mouettes sur les plages. Les cormorans préfèrent l'entrée des ports ou les rochers plus lointains.

La mouette suit les bateaux pour attraper les poissons que les marins rejettent. Au printemps, elle pond ses œufs dans un nid perché tout en haut de la falaise. Elle vit souvent en groupe et est reconnaissable à son cri qui ressemble aux pleurs d'un enfant.

Le cormoran huppé est un excellent nageur : ses pattes palmées servent de gouvernail et ses ailes de nageoires. Après le plongeon, il s'arrête souvent sur un rocher pour faire sécher ses ailes. Au printemps, une touffe de plumes couvre la tête de ce grand oiseau noir : c'est la huppe.

Les oiseaux marins sont protégés. Il ne faut pas les attraper.
Le macareux passe l'été en Bretagne. Le goéland niche
en colonie. L'huîtrier-pie cherche des vers et des coquillages.

Le macareux

Le fou de Bassan plane
au-dessus de la mer à la
recherche de poisson. Puis
il plonge à plusieurs mètres
sous l'eau pour le pêcher.
Il regagne son rocher le soir.
C'est un oiseau très fidèle.
Le couple reste uni pour la vie.
Il vit souvent dans les creux des
falaises, d'où il peut s'envoler.

Le goéland
argenté

L'huîtrier-pie

VISITE UN MARAIS SALANT

Sais-tu que l'on peut récolter le sel de la mer ? Si tu visites un marais salant, le "paludier" t'expliquera tout !

L'eau de mer circule dans les canaux pour remplir les bassins.

L'eau s'évapore grâce au soleil et au vent. Le sel apparaît.

Chaque jour, le paludier fait des tas de sel avec un râteau.

Lorsque le sel est égoutté, le paludier l'emporte et le vend.

RECONNAIS LES PLANTES DE LA MER

Les hommes ont découvert que les algues pouvaient entrer dans la fabrication d'aliments ou de produits de beauté !

Les "flotteurs" permettent au fucus de rester à la surface.

La laminaire est fixée au rocher par un crampon.

Quelques fucus dans l'eau de ton bain adouciront ta peau.

Ces algues en poudre s'utilisent comme du sel !

DÉCOUVRE COMMENT ON ÉLÈVE LES HUÎTRES

Les ostréiculteurs élèvent les huîtres dans des parcs.
Ils veillent à ce qu'elles n'attrapent pas de maladies !

Les larves d'huîtres grossissent sur des tuiles.

L'ostréiculteur détache les huîtres devenues grandes.

Serrées dans les "pochons", les huîtres séjournent en bassin.

Les huîtres sont lavées, triées et rangées dans les bourriches.

ESSAIE D'ALLER EN MER SUR UN CHALUTIER

Certains pêcheurs acceptent d'emmener des personnes pour une journée. Tu auras ainsi la chance de voir le travail des pêcheurs.

Le chalut est un grand filet qui traîne derrière le chalutier : c'est un piège pour les poissons.

Le sonar est un appareil qui repère les bancs de poissons. Quand le signal est donné, les pêcheurs lancent le chalut.

Les pêcheurs remontent le chalut et le vident sur le pont.

Pendant le retour au port, les poissons sont mis en caisse.

APPRENDS À PÊCHER À LA LIGNE

Une grande personne peut t'aider à fabriquer ton matériel de pêcheur... ou t'offrir une ligne déjà montée !

une canne à pêche de 2,50 m à 3 m

du fil de nylon fin

un petit bouchon

des plombs pour maintenir le bouchon droit

un hameçon n° 16 pour attraper des petits poissons

des appâts : vers de mer, moules, coques, crevettes...

un seau pour mettre tes poissons

Tu peux trouver toi-même les vers de mer qui appâteront les poissons : avec une pelle, creuse dans la vase à marée basse !

QUELQUES CONSEILS POUR PÊCHER

Un bon pêcheur ne s'installe pas n'importe où. Choisis bien tes appâts et accroche-les correctement à l'hameçon !

Au bout de la jetée du port, tu pêcheras des éperlans !

Installé sur les rochers, tu pêcheras des poissons de roche.

Le bouchon plonge lorsqu'un poisson mord à l'hameçon. Donne au bout de la canne un petit coup sec, puis remonte la ligne.

19

ATTRAPE DES POISSONS AVEC UNE BOUTEILLE

Si tu veux observer des petits poissons, prépare ce piège tout simple. Tu les relâcheras au bout de quelques minutes.

Découpe une bouteille de plastique pour enlever le goulot.

Place dans ta bouteille des cailloux et quelques appâts.

Remets le goulot à l'envers et installe ta bouteille là où l'eau n'est pas très profonde. Des petits poissons viendront goûter tes appâts.

PÊCHE DANS LES ROCHERS

Munis-toi d'un panier et d'épuisettes. Voici ce que tu trouveras peut-être dans les rochers ou au bord de la plage.

Avec un haveneau, tu pourras attraper des crevettes grises.

Avec une épuisette, cherche les grosses crevettes.

Lors des grandes marées, quand la mer se retire très très loin, entraîne les adultes à la pêche aux crabes et aux langoustes !

TECHNIQUE POUR ATTRAPER DES CRABES

Ces animaux sont difficiles à trouver, car ils se cachent sous les rochers. Saisis-les par le dos pour ne pas te faire pincer.

Plonge ton épuisette dans le trou d'eau et racle le rocher.

Retourne l'épuisette pour faire tomber l'étrille dans ton seau.

Mets un bout de viande et un caillou au bout de la ficelle.

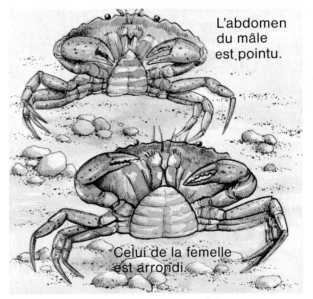

L'abdomen du mâle est pointu.

Celui de la femelle est arrondi.

Quand le crabe saisit la viande, tire la ficelle d'un coup sec.

Rejette les crabes femelles afin qu'elles puissent se reproduire.

ESSAIE D'ATTRAPER DES COUTEAUX

Ce coquillage ressemble à un manche de couteau ! Repère deux trous sur le sable humide : c'est la trace de sa présence.

Dépose du gros sel dans les trous. Le couteau croira que la mer salée arrive. Il remontera à la surface... jusqu'à toi !

Enfonce une longue tige dans le trou. Quand le couteau se referme sur la tige, creuse autour pour le dégager.

RAMASSE DES COQUILLAGES

Tu peux t'amuser à ramasser quelques coquillages. Mais attention, ils ne sont pas toujours bons à manger !

Les coques se ramassent sur le sable humide, à marée basse.

Quand la marée remonte, gratte le sable sous l'eau.

Choisis les moules qui sont dans l'eau à marée haute.

Tu trouveras des bigorneaux sous les algues.

FABRIQUE UN PIÈGE À BIGORNEAUX

Pas facile de manger des bigorneaux ! Il faut les faire cuire, puis se servir d'une épingle pour les sortir de leur coquille.

Pose deux grosses pierres sur le sable humide, près des rochers.

Pose une planche en bois, puis à nouveau deux grosses pierres.

À marée haute, les bigorneaux s'accrocheront à la planche.

À la prochaine marée basse, tu pourras les ramasser !

OBSERVE ET DÉCOUVRE

Sur le sable, tu trouveras plein de petites bêtes, ainsi que des trésors que les vagues ramènent vers la plage.

Si tu secoues un paquet d'algues sèches, tu verras tomber des centaines de puces de mer qui se dirigeront très vite vers l'eau !

un bout de bois creusé par les vers

une plume d'oiseau

une coquille d'ormeau

une carapace de crabe mort

Cet enfant tient dans la main un os de seiche. Il le donnera à un oiseau pour qu'il s'y aiguise le bec.

AMUSE-TOI AVEC LE SABLE

Un gros tas de sable humide peut devenir montagne ou animal.
Pense à utiliser des galets et des coquillages en décoration.

Ne t'occupe pas de la forme.
Entasse beaucoup de sable !

Tasse le sable avec tes mains
ou ta pelle : voici une montagne.

De gros galets deviendront
les points de la coccinelle...

Avec le bord de ta pelle, trace
les écailles du poisson.

UN SUPER-CHÂTEAU DE SABLE
Construis ton château à marée basse, dans le sable humide.
Quand la mer remontera, tu le défendras contre les vagues !

Pour former les tours,
remplis ton seau de sable
humide et retourne-le.

Les remparts protégeront le
château quand les premières
vagues arriveront.

Décore ton château avec des
coquillages, ton seau, ton jeu de
boules...

Tasse le sable des remparts
avec ta main ou avec le dos
d'une pelle.

DES IDÉES DE JEUX

Avec quelques amis, organise des courses. Profitez-en pour bien vous arroser ! Puis reposez-vous en jouant sur un damier.

Chaque joueur pose sur sa tête un seau rempli d'eau. Il faut atteindre la ligne d'arrivée sans renverser le seau !

Les deux joueurs tracent sur le sable un carré, puis les différentes lignes.
Un joueur prend trois galets blancs, l'autre trois galets noirs.
Celui qui réussit à aligner ses trois galets a gagné !

Quand tu joues sur la plage, méfie-toi des coups de soleil ! Mets de la crème solaire, sinon ta peau sera brûlée et tu souffriras !

29

RALLYE DANS LE DÉSERT

Avec le manche d'une pelle, trace la cible et le parcours et reproduis les différentes figures avec des coquillages.

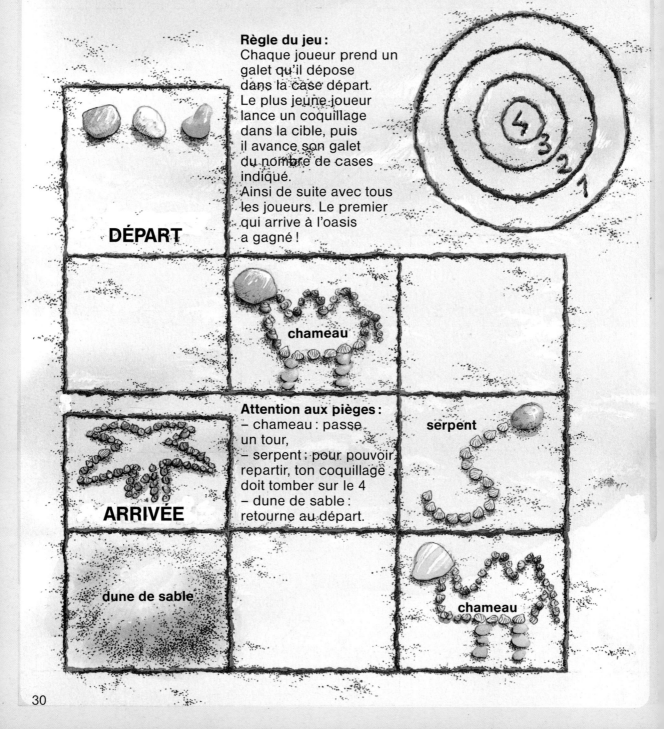

Règle du jeu :
Chaque joueur prend un galet qu'il dépose dans la case départ. Le plus jeune joueur lance un coquillage dans la cible, puis il avance son galet du nombre de cases indiqué.
Ainsi de suite avec tous les joueurs. Le premier qui arrive à l'oasis a gagné !

DÉPART

chameau

serpent

Attention aux pièges :
– chameau : passe un tour,
– serpent : pour pouvoir repartir, ton coquillage doit tomber sur le 4
– dune de sable : retourne au départ.

ARRIVÉE

dune de sable

chameau

JEUX D'OMBRES

Veux-tu t'amuser avec le soleil ? Voici deux activités qui te feront patienter sur la plage en attendant l'heure du bain !

Un ami dessine le contour de ton ombre avec un manche de pelle. Décorez la silhouette avec des galets, des algues, des coquillages...

Attention ! Un ami essaie de poser le pied sur ton ombre. Quand il aura réussi, ce sera à toi de rattraper son ombre !

AVEC LES YEUX BANDÉS

Propose à une grande personne ou à un ami les deux activités expliquées ci-dessous. Et si tu jouais à ton tour ?

Aligne une algue, un galet, un coquillage, etc.

Les yeux bandés, le joueur regroupe les objets semblables.

Écraser des coquillages avec un galet

Frotter deux galets l'un sur l'autre

Faire des clapotis

Cette maman est assise près d'une flaque, les yeux bandés. Elle devine comment sont produits les sons qu'elle entend.

LE FILET DU PÊCHEUR

Le filet est formé par une ronde d'enfants. Les enfants qui restent à l'extérieur du filet jouent le rôle des poissons.

Les enfants du filet chantent une petite comptine.

Pendant le temps du chant, les poissons traversent le filet.

A la fin du chant, les enfants du filet baissent les bras...

... et les poissons prisonniers se joignent à la ronde !

JOUE DANS LA MER AVEC DES AMIS

Quoi de plus drôle que de jouer dans l'eau de mer ? Voici quelques idées. Tu en trouveras bien d'autres.

Un enfant sur deux reste debout, les autres se laissent flotter !

Dansons la capucine... Plouf ! Mettez la tête sous l'eau !

1-2-3, partez ! Qui va pousser sa "brouette" le plus vite ?

Qui plongera le plus vite et refera surface le premier ?

DU SABLE DE TOUTES LES COULEURS

Remplis une bouteille de ketchup avec des couches de sable de différentes couleurs : tu seras étonné du résultat.

Tamise du sable sec avec une passoire. Mélange-le avec des encres de différentes couleurs. Laisse-le bien sécher.

Verse le sable dans la bouteille en jouant avec les couleurs.

Remplis bien les bouteilles et ferme-les.

RÉALISE UN BATEAU DE SABLE

Avec du sable coloré, de la colle, des crayons, tu réaliseras de beaux dessins de sable. Voici par exemple un bateau.

Dessine un bateau sur une feuille assez épaisse.

Étale la colle sur une partie du dessin. Choisis le sable coloré.

Saupoudre le sable, puis secoue pour enlever le surplus.

Continue en répartissant à ton goût d'autres couleurs de sable.

QUELQUES IDÉES D'OBJETS-COQUILLAGES

Pour que tes coquillages soient bien propres, demande à une grande personne de les faire bouillir quelques minutes !

Choisis les coquillages en fonction de ce que tu veux réaliser.

Tu utilises de la colle pour faire tenir les coquillages.

Un cadre recouvert de coques.

Un œuf recouvert de bigorneaux.

Une poupée-coquillage.

Un badge :

Peins un poisson sur un coquillage. Retourne le coquillage pour y coller du coton.

Recouvre le coton et les bords du coquillage d'un tissu sur lequel tu accrocheras une épingle à nourrice.

SOIS RESPECTUEUX DE LA NATURE

Voici quelques conseils afin que la plage soit aussi belle à la fin des vacances qu'au début, pour le plaisir de tous !

Ne laisse pas traîner de sacs en plastique. Trouve une poubelle.

Les morceaux de verre blessent ceux qui marchent pieds nus.

Marche sur le sentier pour ne pas abîmer les dunes.

La racine des fleurs retient le sable. Ne les cueille pas !

VACANCES
A LA CAMPAGNE

LA CAMPAGNE AU PRINTEMPS

Observe bien les détails de ce dessin. Tu les retrouveras dans les pages qui suivent, avec plein d'explications !

QUELQUES FLEURS DU PRINTEMPS

Lorsque tu cueilles des fleurs, coupe leur tige, mais n'arrache pas leurs racines : la plante ne pourrait plus repousser.

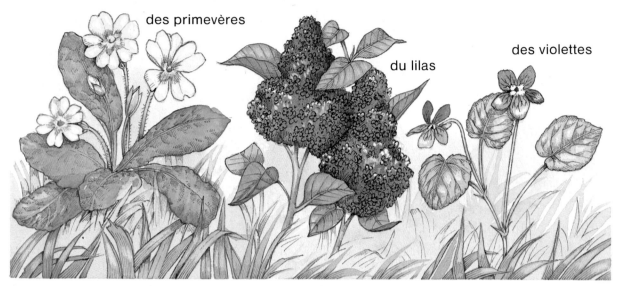

des primevères

du lilas

des violettes

Tu trouveras la primevère dans les fossés, le lilas dans les haies des jardins, et les violettes dans les sous-bois.

une anémone des bois

un brin de muguet

des boutons d'or

Le muguet aime la fraîcheur des sous-bois, comme l'anémone. On dit qu'il porte bonheur. Le bouton d'or préfère les prairies.

LA NATURE SE RÉVEILLE

Coupe une branche qui porte des bourgeons et installe-la dans un vase. Petit à petit, tu verras les bourgeons s'ouvrir.

Les bourgeons éclatent : ils libèrent les petites feuilles qui dormaient bien au chaud sous les écailles... et fleurissent !

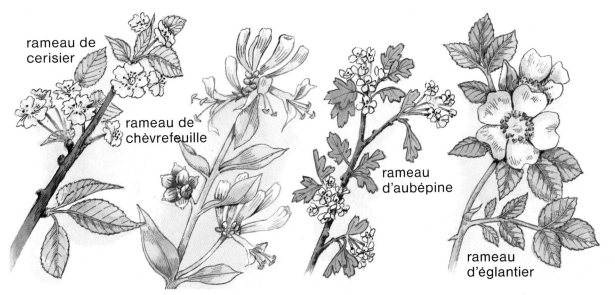

rameau de cerisier

rameau de chèvrefeuille

rameau d'aubépine

rameau d'églantier

La fleur du cerisier deviendra cerise. Celle du chèvrefeuille sent bon, pas celle de l'aubépine. L'églantier est un rosier sauvage.

OBSERVE LES ANIMAUX

Même la biche approche de cette maison qui borde la forêt.
Et près de chez toi, quels animaux peux-tu observer ?

Les hirondelles construisent leur nid sous le toit.

Papa et maman oiseau nourrissent leurs petits.

La biche surveille le faon qui vient de naître.

Le citron est le premier papillon de l'année.

L'escargot apprécie les feuilles tendres.

L'abeille butine les fleurs.

La coccinelle pond des œufs.

LE PRINTEMPS À LA FERME

Beaucoup d'animaux ont leurs bébés au printemps. Demande au fermier s'il n'y aurait pas des petits nouveaux dans l'étable !

De temps en temps, le fermier regarde si le blé pousse bien.

Le fermier donne à boire au petit veau qui vient de naître.

Le semoir dépose les grains de maïs dans les sillons.

Dans le potager, le fermier plante ses poireaux.

BONJOUR, LES BÉBÉS ANIMAUX !

Les oiseaux ont bâti leurs nids, les grenouilles ont pondu leurs œufs : leurs bébés vont bientôt venir au monde.

Madame coucou a pondu son œuf dans le nid d'un autre oiseau. Dès qu'il naît, bébé coucou jette les autres œufs !

Remplis ton bocal avec l'eau de la mare. Récupère des œufs de grenouille : tu verras naître des petits têtards !

RELÈVE DES EMPREINTES

Par temps humide, tu trouveras des empreintes d'animaux sur les chemins qui bordent les prairies, sur les sentiers des bois.

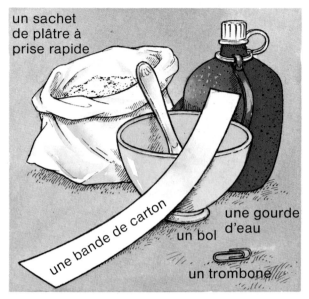

un sachet de plâtre à prise rapide

une bande de carton

un bol

une gourde d'eau

un trombone

Emporte dans un sac à dos tout le matériel nécessaire.

Entoure la trace. Ferme la bande de carton à l'aide du trombone.

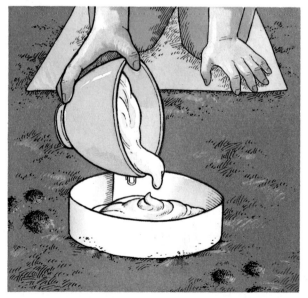

Verse doucement le mélange de plâtre et d'eau sur l'empreinte.

Une demi-heure après, soulève le plâtre et enlève la terre.

GUIDE DES EMPREINTES

Si tu trouves des empreintes dans la nature, compare-les avec celles-ci. Tu sauras peut-être quel animal est passé par là.

Le hérisson a cinq petites griffes à chaque patte.

Les sabots du lourd sanglier s'enfoncent profondément.

Le lièvre rebondit sans peine sur ses pattes très allongées.

L'écureuil s'accroche aux troncs d'arbre avec ses griffes.

CUEILLETTE DU PRINTEMPS

Tu trouveras des jeunes pissenlits ainsi que des champignons :
certains sortent de terre dès le mois d'avril !

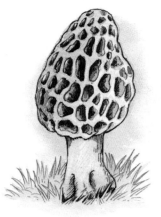

Le chapeau de la morille
est plein de trous.

Le mousseron de
la Saint-Georges sent
la farine fraîche.

Les tendres feuilles du
pissenlit feront une
bonne salade.

Cette maman connaît les endroits où poussent les morilles :
elle a confié son secret à sa petite fille !

COURONNE DE FLEURS

Aimerais-tu te transformer en prince ou en princesse du printemps ? Alors, prépare une belle couronne de fleurs !

Cueille des fleurs. Coupe-les en conservant leur tige.

Pose du ruban adhésif double face de chaque côté du bandeau.

Pose les tiges des fleurs autour du bandeau. Appuie bien fort.

Continue de manière à couvrir entièrement la couronne. Bravo !

DESSINE UN MOUTON

Si tu visites une bergerie, demande au berger comment il tond les moutons... et ramasse un peu de laine.

Le berger tond très rapidement l'épaisse toison du mouton.

Une fois chez toi, prépare ta colle, tes feutres, du carton.

Colle la laine à la place du ventre du mouton.

Tu n'as plus qu'à dessiner la tête et les pattes du mouton !

LA CAMPAGNE EN ÉTÉ

Le soleil brille haut dans le ciel et il fait chaud. Compare cette image à celle du printemps. Qu'est-ce qui a changé ?

CONNAIS-TU CES FLEURS ?

Certaines fleurs, comme le bleuet, deviennent très rares.
Admire les fleurs dans la nature, mais évite de les cueillir !

Le fragile coquelicot fleurit dans les champs de blé.

La camomille pousse dans les champs et au milieu des chemins.

Ces fleurs de campanule ressemblent à des clochettes.

La longue tige du bleuet porte une fleur aux pétales dentelés.

LES INSECTES VUS DE PRÈS

Tu verras que ces petits insectes ont une drôle de tête.
Observe-les sans les déranger : ils sont toujours très occupés.

Pour son repas, la coccinelle
recherche des pucerons.

La sauterelle "chante" en
frottant le bord de ses ailes.

L'abeille aspire un liquide
sucré : le nectar des fleurs.

Les ailes du papillon sont
couvertes d'écailles fragiles.

LES ANIMAUX DE LA MARE

La mare est un endroit merveilleux pour observer les animaux. Prends une paire de jumelles et cache-toi derrière les herbes.

un canard colvert

un héron

une libellule

une bergeronnette

une poule d'eau

une grenouille

L'eau de la mare est calme et peu profonde. L'été, lorsqu'il fait chaud, des algues la recouvrent et elle devient verte.

DES IDÉES POUR UNE JOURNÉE

Cueillir des fruits, rechercher le nid d'un oiseau ou une fleur originale, ou encore observer la vie agitée des fourmis.

Tu peux cueillir des cerises dès le début de l'été.

Le pic-vert creuse un trou dans un tronc pour faire son nid.

Sais-tu que la fleur du liseron ne vit qu'une journée ?

Les fourmis travaillent tout le temps, elles sont courageuses.

LE TEMPS DES MOISSONS

Si tu as la chance de connaître un fermier, tu pourras peut-être monter sur son tracteur. Tu devras être très prudent !

La moissonneuse-batteuse coupe le blé, puis elle sépare le grain de la tige. Le grain tombe dans la remorque du tracteur.

RECONNAIS LES CÉRÉALES

Certaines graines germent dans les fossés qui bordent les champs. Tu peux y ramasser quelques céréales et les observer.

Les grains de blé sont moulus pour obtenir de la farine.

Les grains de maïs servent d'aliment pour les animaux.

Les chevaux se régalent en mangeant les grains d'avoine.

Avec les grains d'orge, on peut fabriquer... du sucre d'orge.

MUSIQUE DES BOIS ET DES PRÉS

Tu peux faire de la musique avec des éléments trouvés dans la nature. Attention, tiges et feuilles sont parfois coupantes !

Tends entre tes pouces un brin d'herbe fraîche. Souffle fort !

Cogne les coquilles vides entre elles.

Roule en cornet une feuille brillante. Souffle dedans !

Souffle dans la tige creuse du pissenlit en pinçant le bout.

DÉGUISE-TOI

Regarde bien les images pour reconnaître les feuilles du lierre, du châtaignier et de la fougère. Et au travail !

Enroule autour de la tête une longue tige de lierre.

Les feuilles de châtaignier sont reliées par des aiguilles de pin.

Coupe des feuilles de fougère en gardant une longue queue.

Noue les queues des fougères sur une ceinture en tige de lierre.

MAISON DE PAILLE

À toi de réaliser cette maison de paille. Elle est si petite qu'elle tient sur un morceau de carton !

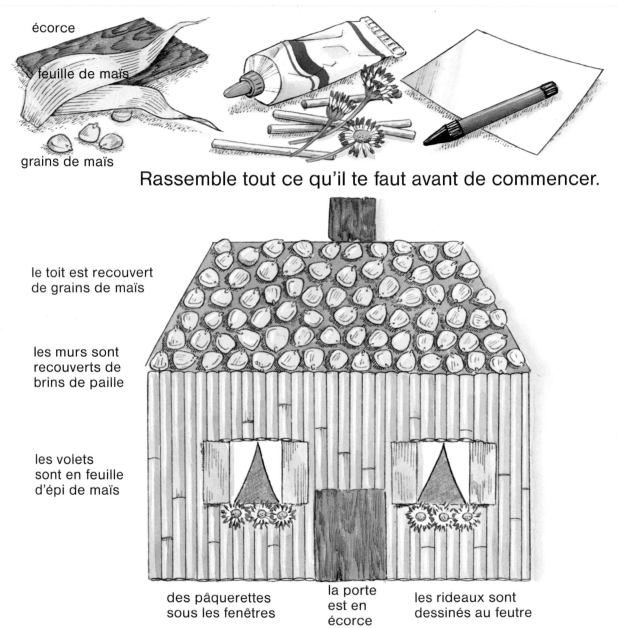

écorce

feuille de maïs

grains de maïs

Rassemble tout ce qu'il te faut avant de commencer.

le toit est recouvert de grains de maïs

les murs sont recouverts de brins de paille

les volets sont en feuille d'épi de maïs

des pâquerettes sous les fenêtres

la porte est en écorce

les rideaux sont dessinés au feutre

Dessine la silhouette de la maison sur le carton blanc.
Étale une couche épaisse de colle avant de poser les éléments indiqués sur le dessin.

MADEMOISELLE MAÏS

À la fin de l'été, demande à un fermier si tu peux couper quelques épis de maïs que tu transformeras en demoiselle !

1) Dans les feuilles qui entourent l'épi de maïs, découpe : la tête, le chemisier, la collerette, la jupe, les jambes, les bras, les souliers.

2) Colle toutes ces parties sur un carton blanc.

3) Colle les grains de maïs à la place des yeux, du nez, de la bouche, des boutons et des boucles de chaussures.

4) Colle les fils qui terminent l'épi de maïs pour faire les cheveux de mademoiselle Maïs !

Caché par de grandes feuilles, l'épi de maïs pousse sur une longue tige. Il se termine par une touffe de fils.

63

PETIT POT-POURRI

Un pot-pourri est fait de fleurs et de plantes séchées qui gardent leur parfum. Choisis celles dont tu aimes l'odeur.

Si tu choisis de cueillir des roses, attention aux épines !

Laisse sécher les pétales, puis remplis un bocal avec...

une couche de gros sel, une couche de pétales, etc.

De temps en temps, ouvre ton bocal. Respire la bonne odeur.

REPAS SURPRISE

À la place des tristes sandwichs, si tu préparais des clowns et des crabes ? Ces recettes plairont aux petits et aux grands.

CROQUE-CLOWN

1) Beurre une tranche de pain de mie et recouvre-la de jambon.
2) Pose deux demi-rondelles d'œuf pour les yeux, une autre pour la bouche.
3) Une goutte de ketchup pour le nez.
4) Du persil pour les moustaches et les cheveux.

MINICRABE

1) Découpe une partie du chapeau d'un petit pain au lait.
2) Étale du fromage à tartiner dans la bouche du crabe.
3) Dans la bouche du crabe, dispose une feuille de salade, deux grosses crevettes pour faire les pinces.
4) Creuse deux trous dans le chapeau pour y mettre les radis : et voilà les yeux du crabe !

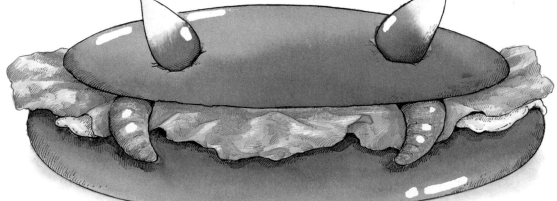

LA CAMPAGNE EN AUTOMNE

Finie la chaleur de l'été : le soleil éclaire doucement la campagne. Montre tout ce qui a changé de couleur !

CHERCHE CES ARBRES DANS LA FORÊT

Au cours de tes promenades, retrouve ces quatre arbres.
Ramasse leurs fruits et leurs feuilles pour tes bricolages !

Le marron, fruit du marronnier,
pousse dans une bogue piquante.

Certains animaux se régalent
du fruit du hêtre, la faine.

Le bouleau se reconnaît à son
tronc blanc.

Le gland est le fruit du chêne.
Son chapeau s'appelle la cupule.

PETITS ET GRANDS ANIMAUX

En automne, tu peux encore apercevoir des animaux dans les champs et les bois ou entendre leur cri.

Les hirondelles se préparent à partir vers les pays chauds.

L'écureuil enfouit ses graines dans de bonnes cachettes.

Voici les chasseurs ! Le lièvre et la perdrix s'enfuient.

Le cerf crie pour appeler les biches : c'est le brame.

RAMASSE DES POMMES

Si tu es dans une région de pommiers, tu pourras peut-être ramasser les pommes avec le fermier. Il a besoin d'aide !

Avant de ramasser les pommes, le fermier secoue l'arbre.

Certaines pommes partent en tracteur pour la cidrerie.

Si le fermier fait son cidre, il laisse bien mûrir les pommes.

On trie les pommes à croquer pour enlever les abîmées.

ESSAIE DE RECONNAÎTRE LES BONS CHAMPIGNONS

Ne touche aux champignons qu'en compagnie d'un adulte qui les connaît bien : les plus beaux sont parfois les plus dangereux.

TU PEUX LES RAMASSER :
(avec un grand)

TU NE DOIS PAS LES TOUCHER :

IMPORTANT : Quand tu ramasses des champignons, tu ne mets pas tes mains à la bouche et tu ne te frottes pas les yeux. Tu te laves les mains dès que tu rentres chez toi.

– la trompette-de-la-mort

– le cèpe

– la girolle

– l'amanite tue-mouche

– le bolet Satan

– l'amanite phalloïde

L'enfant et sa maman ramassent des bolets des pins : ils sont bons à manger. Attention, d'autres bolets sont vénéneux.

BOUQUET D'AUTOMNE

Voici un superbe bouquet, très simple à réaliser. Tu peux en inventer un autre avec le fruit de tes cueillettes.

PRÉPARE :

des brochettes de bois

un vase à moitié rempli de terre ou de sable

des épis de maïs

des petites pommes vertes et rouges

Choisis quelques jolis branchages.

Ramasse des branches portant des baies de sureau, des baies d'aubépine.

Pique les épis de maïs et les pommes au bout des brochettes avant de les installer à leur tour dans le vase.

PETITS TABLEAUX DE FEUILLES

Pour manipuler les feuilles les plus fines et les plus fragiles,
tu peux utiliser une pince à épiler.

Utilise des tiges pour faire
les moustaches et la queue.

Trouve la bonne position de
chaque feuille avant de coller.

Le visage du petit bonhomme
est dessiné au feutre.

Pour obtenir une belle fleur,
prends des feuilles très colorées.

JOUE AVEC DES SAMARES

Les fruits de l'érable sont des samares. En automne, elles tombent en tournoyant comme les hélices de l'hélicoptère.

Ramasse une samare qui vient de tomber : il ne faut pas qu'elle soit trop sèche. Sépare en deux la partie épaisse d'une des deux ailes de la samare. Pose-la sur ton nez et appuie bien fort. Tu ressembles à un rhinocéros !

Prends ta collection de samares, tes feutres, de la colle forte et du papier. Tu pourras inventer des objets-samares.

Ce bonhomme volant a des samares à la place des bras !

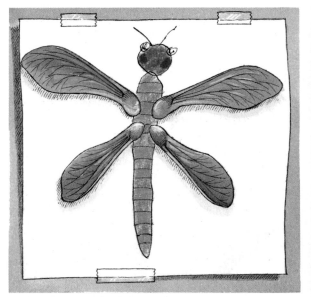

Chaque samare devient une paire d'ailes de papillon !

AVEC DES POMMES DE PIN

Ce ne sont ni des pommes ni du pain, mais de drôles de fruits à écailles qui tombent des sapins pendant l'automne.

Pose une pomme de pin devant ta fenêtre. Quand il fait beau, ses écailles s'ouvrent. Quand il pleut, elles se referment.

Amuse-toi à les peindre de toutes les couleurs !

Voici un arbre fait d'écailles, de brindilles et de mousse.

PEINTURE EN BOÎTE

Lorsque tu te promènes en forêt, ramasse des glands et des marrons. Ne les garde pas trop longtemps : ils pourriraient !

Dans les pots, dilue la peinture avec de l'eau.

Avec du ruban adhésif, fixe une feuille dans un couvercle de boîte à chaussures.

Choisis trois couleurs.

À l'aide d'une cuillère, pose sur le couvercle un fruit que tu auras trempé dans la peinture. Remue le couvercle. Continue avec deux autres fruits trempés dans d'autres couleurs.

MOBILE D'AUTOMNE

Aimes-tu te servir d'un marteau et de clous ? Demande à une grande personne de t'en prêter pour fabriquer ce mobile.

pommes de pin – marrons – glands – marteau – branches – bobine de fil – clou fin.

Enroule le fil autour des pommes de pin.

Avec un fil solide, relie deux petites branches.

Avec le marteau et le clou, perce les glands et les marrons.

Passe le fil à travers les marrons et les glands. Fais un nœud au-dessus et au-dessous de chaque fruit. (Utilise une aiguille si tu as des difficultés.)

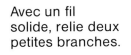

Déplace tes fils le long des branches pour trouver le bon équilibre. Souffle sur ton mobile pour le faire tourner.

77

MARCHAND DE FRUITS

Si tu étais marchand de fruits, que ramasserais-tu dans la forêt pour tes clients ? Attention de ne pas les empoisonner !

4

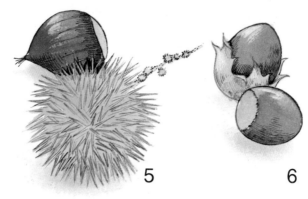

5

6

7

3

8

2

1

1 – Laisse les baies noires du sureau pour les oiseaux !

2 – Les fruits rouges de l'aubépine ne sont pas très bons.

3 – Avec les mûres, tes clients feront de la confiture.

4 – Seuls quelques animaux de la forêt mangent des marrons.

5 – Une fois grillées ou bouillies, les châtaignes sont délicieuses.

6 – Quelques noisettes fraîches pour le dessert !

7 – Les sangliers adorent les glands !

8 – Une faine ! Un régal pour le cerf.

9 – L'écureuil ronge les graines de la pomme de pin.

9

Certains fruits sont bons pour les animaux, mais dangereux pour les hommes. Ne ramasse que les fruits que tu connais !

CHARLOTTE AUX MÛRES

Tu trouveras des mûres dans les haies. Choisis-les bien noires
et vérifie que les grains ne sont pas abîmés.

Mélange 300 g de fromage
blanc, 100 g de fruits,
4 cuillères à soupe de sucre.

Tapisse le fond puis les bords
d'un moule à charlotte avec des
biscuits trempés dans du lait.

Remplis le moule avec une
couche du mélange fromage
blanc et fruits, une couche de
biscuits...

Place la charlotte au réfrigérateur
toute la nuit. Démoule-la, puis
couvre-la de fromage blanc.

LA CAMPAGNE EN HIVER

La nature semble endormie. Alors, que font les habitants de la ferme et les animaux qui sortent malgré le froid ?

LES ANIMAUX EN HIVER

Ne dérange pas l'escargot pendant l'hiver : il dort bien au chaud dans sa coquille. Le renard a moins de chance !

La grive se régale en mangeant les boules blanches du gui...

Suspendue au plafond d'une grotte, la chauve-souris dort !

Une épaisse couche de bave ferme la coquille de l'escargot.

Le renard a faim ! Pourra-t-il entrer dans le poulailler ?

L'HIVER À LA FERME

Si tu connais un fermier, rends-lui une petite visite
et demande-lui ce qu'il fait en hiver.

Le fermier élague les arbres :
il coupe les vieilles branches.

C'est le moment de récolter
les poireaux dans le potager.

La fermière nourrit les vaches
qui passent l'hiver à l'étable.

Le fermier répare les clôtures.
Tout sera prêt pour le printemps.

DÉCORE DES FEUILLES DE HOUX

Même en hiver, les feuilles de houx restent bien vertes. Et si tu leur donnais un air de fête ? Suis bien les explications !

Pour couper les branches, il te faudra un bon sécateur.

Décore les feuilles avec de la peinture jaune et rouge.

Noue un gros ruban rouge autour des branches.

Tu installeras tes bouquets de houx sur la table de fête.

UNE CLOCHE POUR LES MÉSANGES

En hiver, le sol est gelé. Les mésanges ont du mal à trouver à boire et à manger. Voici comment tu peux les aider.

Remplis un pot avec des graines de tournesol et du saindoux.

Demande à un adulte de planter un manche à balai dans la terre.

Le pot est retourné et enfoncé au sommet du manche à balai.

Pose un bol d'eau tiède près de ta cloche. Les oiseaux ont soif !

DES BRANCHES ET DES ANIMAUX

Observe bien la forme des branches que tu ramasses. En quel animal pourrais-tu les transformer ? Voici quelques exemples.

Choisis quelques branches mortes tombées à terre.

Prévois de la peinture qui recouvre bien le bois.

On dirait bien la tête et le cou d'une girafe !

Un serpent et un requin compléteront la collection...

POUR UN GOÛTER D'HIVER

Avec un rouleau de pâte feuilletée et des barres de chocolat
à pâtisserie, tu feras d'excellents pains au chocolat !

Dans la pâte feuilletée étalée,
coupe 8 carrés de 10 cm de côté.

Entoure chaque barre de
chocolat d'un carré de pâte.

Fais cuire les pains à four très
chaud pendant 10 minutes.

Dore-les au jaune d'œuf, puis
remets-les 5 minutes au four.

RESPECTE LA CAMPAGNE

Les fermiers entretiennent la campagne. Ils connaissent les arbres et les plantes. Écoute leurs conseils.

N'abîme pas l'écorce des arbres en y creusant des dessins.

N'arrache pas les jeunes pousses d'arbre : laisse-les grandir !

Referme la barrière, sinon les animaux s'échapperont.

Ne cours pas dans les champs de blé : tu abîmerais la récolte !

VACANCES
A LA MONTAGNE

LA MONTAGNE EN ÉTÉ

Observe ces deux pages et tu découvriras toutes les activités que l'on peut pratiquer à la montagne.

FLEURS DES MONTAGNES

C'est au début de l'été que les fleurs de montagne sont les plus belles. Celles qui poussent près des sommets ont une tige courte.

La gentiane jaune fleurit la première fois quand la plante a dix ans !

Les fleurs de la gentiane bleue se referment le soir vers 18 heures.

La "reine des Alpes" est un chardon bleu qui ne pique pas très fort.

Les feuilles de l'edelweiss se couvrent de poils blancs pour résister au froid.

Les fleurs de l'aster répandent une légère odeur de vanille.

La renoncule des montagnes est rare, contrairement aux autres renoncules.

Observe ces belles fleurs et essaie de les retrouver dans la montagne au cours de tes promenades. Ne les cueille surtout pas !

OISEAUX DES MONTAGNES
Le tétras-lyre et la perdrix se cachent souvent.
Mais tu pourras peut-être suivre le vol du chocard et de l'aigle.

L'aigle royal saisit ses proies avec ses puissantes serres.

Le plumage de la perdrix des neiges devient blanc en hiver.

Le tétras-lyre a la taille d'une poule. Il aime vivre en famille.

Le chocard des Alpes niche en haute montagne.

VISITE UNE FROMAGERIE

À la fromagerie, tu comprendras comment le bon lait des vaches de la montagne se transforme en... fromage !

Le lait est d'abord chauffé dans une énorme cuve.

On y ajoute un produit qui va le faire épaissir.

Le lait se transforme doucement. Attention à la température !

Le "fromage" est versé dans des moules à trous et s'égoutte.

À la belle saison, les vaches broutent la bonne herbe des alpages. C'est alors que le lait et le fromage sont les meilleurs.

Le fromager pose un cercle de bois avant d'enlever le moule.

Une machine appuie sur le couvercle du fromage.

Le fromager enlève le couvercle et sale le fromage.

Le fromage va vieillir dans une cave pendant plusieurs mois.

MONTE PRÈS D'UN GLACIER
Le glacier est si lourd qu'il glisse lentement le long de la montagne, comme un fleuve de glace.

PRÉPARE-TOI POUR LA RANDONNÉE

Une randonnée, c'est une grande promenade à pied sur les sentiers de la montagne. Il faut prévoir un bon équipement !

Choisis des chaussures solides : tu marcheras sur des cailloux.

Tu emporteras un pull, une gourde d'eau et un goûter.

La crème solaire protégera ton visage des coups de soleil.

Et n'oublie pas de mettre un chapeau. Gare aux insolations !

À LA DÉCOUVERTE DES SOURCES

Sais-tu d'où vient l'eau qui court le long de la montagne ?
Alors, remonte un sentier qui longe le lit d'un torrent.

Le torrent descend à vive allure
le long de la montagne.

En été, le glacier fond un peu :
l'eau rejoint le lit du torrent.

L'eau qui voyage sous la terre ressort sous forme de cascade
ou de source qui peut apparaître au milieu d'un champ.

PARLE AVEC UN BERGER

Si tu rencontres un berger, demande-lui comment il occupe les longues journées qu'il passe dans la montagne.

Le berger surveille les moutons pour qu'ils ne s'éloignent pas.

Deux fois par jour, le berger trait le lait de ses brebis.

Ce lait deviendra du fromage que le berger vendra.

Le berger dort dans une cabane en pierre et en bois.

POUR MIEUX DÉCOUVRIR LA MONTAGNE

Tu peux faire une longue promenade, dormir dans un refuge et redescendre le lendemain.

Chacun a rangé dans son sac à dos un duvet pour la nuit.

Voici de jeunes marmottes qui gambadent près de leur terrier.

Au loin, des bouquetins sautent de rocher en rocher.

Cette maison où les marcheurs font étape, c'est le refuge.

Avant de partir, les randonneurs rangent le refuge. Il faut que tout soit remis en place pour les prochains arrivants.

Plusieurs groupes de marcheurs dormiront dans ce dortoir.

Au retour, tu auras peut-être la chance de voir un chamois !

Tu vas rejoindre le sentier qui descend vers la vallée.

Il faut rentrer avant la nuit. Au revoir, les chèvres !

UNE NUIT DANS LA MONTAGNE

As-tu déjà dormi dans la montagne ? Peut-être qu'une grande personne acceptera de vivre cette aventure avec toi !

Si un orage éclate, tu seras bien à l'abri sous la tente.

L'eau du torrent est froide. Y ferais-tu ta toilette ?

Tu pourras ramasser du bois mort pour faire un bon feu.

Avant de dormir, tu verras peut-être des étoiles filantes.

CHERCHE DES PIERRES

Au bord du torrent, tu trouveras des pierres aux formes très curieuses. Certaines proviennent des glaciers de la montagne.

L'eau du torrent arrondit les pierres et les transforme en galets bien lisses.

Cette pierre contient les coquilles d'animaux qui vivaient il y a des millions d'années.

Les petites roches du glacier ont creusé des stries dans ce calcaire.

Si tu veux ramasser des pierres, choisis avec l'aide d'un grand un endroit où le torrent n'est ni profond ni rapide.

ET VOGUE LE BATEAU À ROUE !

Choisis une petite mare pour faire voguer ton bateau.
Il ne doit pas y avoir de courant.

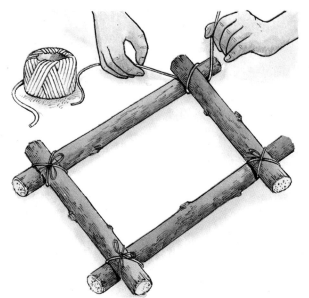

Assemble les morceaux de bois
deux à deux avec de la ficelle.

Découpe les ailettes de la roue
dans des boîtes de camembert.

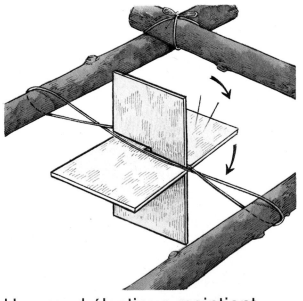

Un grand élastique maintient
la roue au milieu du bateau.

Tourne la roue plusieurs fois et
lâche ton bateau.

TOURNE, TOURNE LE MOULIN !

Avec la boîte à camembert du pique-nique, deux bâtons et des élastiques, tu pourras faire ce petit moulin.

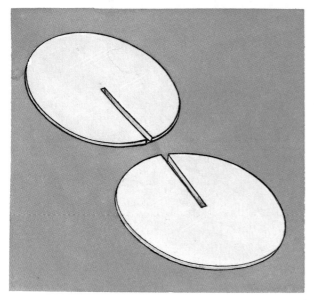

Découpe une fente dans chaque fond.

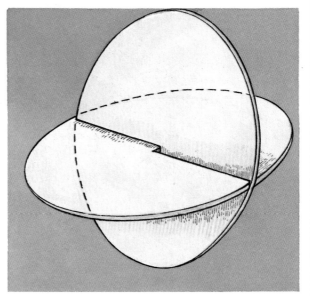

Emboîte les deux fonds l'un dans l'autre : ce sont les ailes.

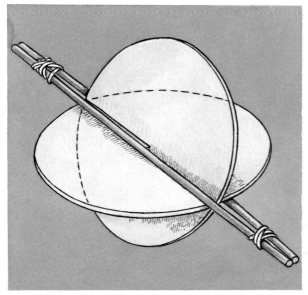

Dispose deux baguettes de bois. Maintiens-les avec les élastiques.

Plante deux bouts de bois fourchus. Et pose ton moulin.

CONSTRUIS UN MINICHALET

Pour réaliser ce minichalet, récupère une boîte en carton.
Un ballotin de chocolat (vide !) conviendra parfaitement.

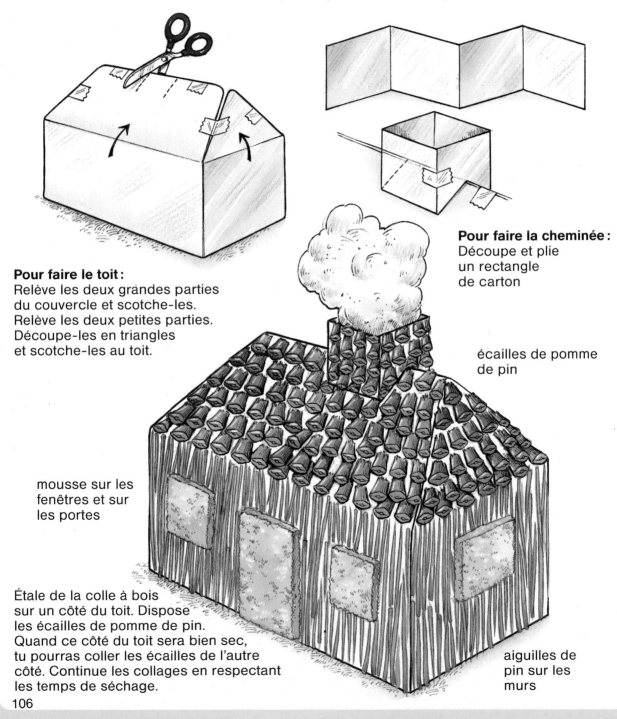

Pour faire la cheminée :
Découpe et plie
un rectangle
de carton

Pour faire le toit :
Relève les deux grandes parties
du couvercle et scotche-les.
Relève les deux petites parties.
Découpe-les en triangles
et scotche-les au toit.

écailles de pomme
de pin

mousse sur les
fenêtres et sur
les portes

Étale de la colle à bois
sur un côté du toit. Dispose
les écailles de pomme de pin.
Quand ce côté du toit sera bien sec,
tu pourras coller les écailles de l'autre
côté. Continue les collages en respectant
les temps de séchage.

aiguilles de
pin sur les
murs

106

PROTÈGE LA MONTAGNE

Protéger la montagne, c'est protéger ses arbres, ses fleurs et ses animaux. Tout ce qui fait le plaisir des randonneurs !

Beaucoup de fleurs deviennent rares : ne les cueille pas !

En marchant hors des sentiers, tu prépares le lit d'un ruisseau.

Laisse la montagne propre : emporte papiers et déchets !

Les petits animaux ont peur des chiens... et de la musique !

LA MONTAGNE EN HIVER

Compare cette double page avec celle qui montre la montagne en été. La neige a tout transformé et les activités ont changé.

TOUS EN LUGE

Quand tu en auras assez de glisser sur les fesses ou sur le ventre, installe-toi sur des objets glissants !

Pour faire de la luge, cherche une pente qui s'arrête dans un champ, pas sur la route : on ne s'arrête pas toujours où l'on veut !

Glisser avec un sac poubelle, ce n'est pas facile, mais c'est très rigolo !

Les bottes des grands font des empreintes de géant : marche dedans ou allonge-toi dans la neige pour y dessiner ton corps !

BONHOMME DE NEIGE

Pour réaliser le corps de ce bonhomme, empile de grosses boules de neige et tasse-les bien.

Pour chaque bras, enfonce une grosse branche dans le corps du bonhomme. Recouvre-la de neige.

Tu sais que les bonshommes de neige fondent au soleil. Pense à prendre une photo que tu garderas en souvenir !

ANIMAUX DES NEIGES

Demande l'aide de tes amis et de quelques grands : à vous tous, vous pourrez réaliser ces superbes animaux des neiges !

Aligne de belles boules pour former le corps du serpent.

Une demi-boule deviendra la carapace de la tortue.

Ce monstre des neiges n'effraie pas les enfants !

Petites, moyennes et grosses boules composent l'ours blanc.

JEU DE BOULES

La tête du bonhomme est tracée avec un bâton. Les yeux, le nez, la bouche, ce sont les empreintes de pas d'un grand.

Chaque joueur a le même nombre de boules.

Si la balle atterrit :
– dans la bouche : 1 point
– dans le nez : 2 points
– dans les yeux : 3 points.
Celui qui a le plus de points a gagné.

Éloigne-toi de la tête du bonhomme de quatre pas.

Le premier joueur lance une boule. Si elle tombe dans un trou, il continue ; sinon, c'est au tour du deuxième joueur.

CONSTRUIS UNE CABANE

Demande de l'aide à tes amis pour construire cette superbe cabane. Couvre le toit d'une fine couche de neige.

Avec des bâtons de ski, tracez un grand carré sur le sol.

Tassez bien les boules de neige qui serviront à monter les murs.

Posez des branchages sur le toit tout en les croisant.

Pour finir, couvrez le sol et le toit avec des sacs poubelles.

DES BONSHOMMES À CROQUER

Après avoir fait un gros bonhomme de neige, tu peux rentrer au chaud et fabriquer des petits bonshommes... en pâte d'amande !

Lave-toi les mains avant de pétrir la pâte d'amande.

Une grosse boule pour le corps, une petite pour la tête.

Décore avec des morceaux de fruits confits.

Ajoute un bâton d'angélique et un chapeau de pâte d'amande.

DESSERT IGLOO

Achète une glace à la vanille chez le pâtissier ou au supermarché. Transforme-la en igloo : elle sera bien meilleure !

Démoule la glace sur un plat recouvert de papier aluminium.

Avec un couteau et une spatule, donne la forme d'un igloo.

Avec une brochette, trace les contours des blocs de glace.

Place un biscuit au chocolat sur la porte. Et bon appétit !

LUMIÈRES DE NOËL

Noël, c'est la fête de la lumière. Pour le 24 décembre,
éclaire la nuit avec des volcans de neige.

Prépare plusieurs petits volcans de neige en haut desquels tu
creuses un petit cratère. Place une bougie dans chaque cratère.

DÉCORE LES FENÊTRES

Regarde un flocon à la loupe : il est fait de cristaux qui ressemblent à des étoiles. Amuse-toi à en faire avec du papier.

Découpe dans du papier fin un carré de 20 cm de côté.

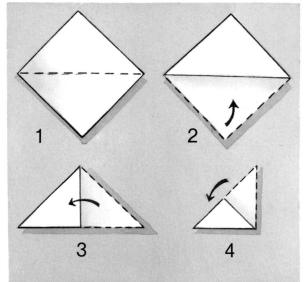

Plie le papier en suivant les étapes indiquées ci-dessus.

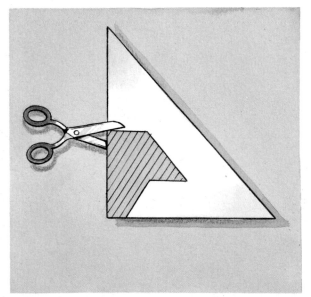

Dessine la partie hachurée sur ton pliage. Découpe-la.

Déplie ton papier, puis colle-le à ta fenêtre pour la décorer !

VACANCES
A LA MAISON

FLEURS DE NOËL

Pendant les vacances de Noël, amuse-toi à décorer la maison et le sapin et à préparer des surprises.

Découpe six bandes de papier couleur.

Empile ces bandes. Perce un trou au centre avec une aiguille.

Passe une attache parisienne dans le trou. Arrondis les bords.

Une fois écartées, les bandes deviendront des pétales de fleurs.

UN BOUGEOIR POUR NOËL

Cette couronne posée sur une petite soucoupe de tasse à café, deviendra un bougeoir décoratif pour la table.

Verse dans un saladier :
– un verre de farine,
– un verre de sel fin,
– un peu d'eau.

Partage la boule de pâte en deux. Transforme chaque moitié en boudin.

Tresse les deux boudins. Réunis les deux extrémités pour former une couronne.

La couronne sèche dans un four, à feu doux, pendant deux heures.

Pose la couronne sur la soucoupe et fixe la bougie au milieu.

PORTRAIT-PUZZLE

Si tu cherches une idée de cadeau de Noël pour un ami ou une personne de ta famille, offre-lui son portrait... en morceaux !

Sur un carton blanc, dessine le portrait et colorie bien partout.

Retourne le carton. Dessine le contour des pièces du puzzle.

Découpe les morceaux en suivant bien les traits que tu as tracés.

Il te reste à glisser ton puzzle dans un paquet cadeau !

FLEURS DE GLACE

Tes fleurs de glace flotteront pendant le repas de Noël, si tu prépares cette jolie surprise... dès le printemps !

Tes fleurs gèleront dans ce récipient plein d'eau minérale.

Noue une ficelle autour des tiges pour bien les serrer.

Plonge ton bouquet, tête en bas. Place le tout au congélateur.

Tu démouleras le bloc de fleurs en le passant sous l'eau tiède.

BALLONS MAGIQUES POUR DÉCOR DE FÊTE

Achète des ballons de baudruche, du fil de nylon et suis bien les explications qui suivent. Tes amis seront très étonnés !

Gonfle les ballons de baudruche et ferme-les par un nœud.

Frotte-les fort et longtemps sur un pull-over de laine.

Si un adulte les met en contact avec le plafond, ils s'y collent !

Frotte deux ballons, tiens leurs ficelles : ils vont s'écarter !

POUR FÊTER L'ÉPIPHANIE

L'épiphanie, c'est la fête des Rois mages. Celui qui trouve une fève dans la galette se coiffe d'une jolie couronne !

UNE COURONNE

– Découpe une bande de 10 cm de large sur 40 cm environ de long (vérifie ton tour de tête avec une ficelle).
– Découpe des triangles en haut de la bande de carton.
– Ferme la couronne avec du ruban adhésif.
– Perce un trou dans chaque triangle.
– Prépare des bandes de papier métallisé de 0,5 cm sur 10 cm.
– Enfile la première bande dans un trou et colle les deux extrémités pour former le premier anneau.
– Enfile la deuxième bande dans la première...

PETIT ROI DU MIROIR

– Dans du papier, découpe une demi-couronne. Décore-la et fixe-la sur un miroir avec du ruban adhésif.
– Fixe également des moustaches de coton.
– Quand tu mettras ton visage tout près de la glace, tu te transformeras en roi ! Demande à tes parents et à tes amis d'essayer.

LE CHAT DU CARNAVAL

Fabrique ton masque de chat, déguise en souris chacun de tes chaussons, puis habille-toi d'un pull et d'un collant noir.

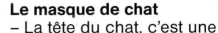

Le masque de chat

– La tête du chat, c'est une assiette en carton jaune. Mais tu peux choisir une autre couleur.
– Retourne les bords de l'assiette pour que le masque couvre bien ton visage.
– Les oreilles sont découpées dans une autre assiette.
– Les moustaches sont en paille.
– Fais des trous dans l'assiette au niveau des oreilles et passe un élastique pour faire tenir ton masque.

Les chaussons-souris

– Les oreilles en feutrine noire sont cousues sur les chaussons.
– Couds aussi des perles pour les yeux et le nez.

Tu peux aussi, si tu le veux, imaginer une queue au chat.
Tu pourras la faire dans une bande étroite de feutrine noire au bout de laquelle tu fixeras quelques bouts de laine.

ROI ET REINE DES MERS

Enfile un élastique de chaque côté du masque pour qu'il tienne sur ton visage. À mardi gras, personne ne te reconnaîtra !

Matériel nécessaire pour réaliser le masque de roi des mers.

Découpe des trous dans l'assiette pour faire les yeux, la bouche.

Bateaux-sourcils et joues-poissons sont en cure-pipe.

La barbe est parsemée d'étoiles. Les cheveux sont en ruban vert.

POISSONS D'AVRIL

Le 1er avril, c'est le jour des farces. Tu pourras accrocher un de ces jolis poissons de papier dans le dos d'un copain !

Du papier en éventail pour la queue, du tissu pour le corps.

La queue est en serpentins déroulés, coupés, puis frisés.

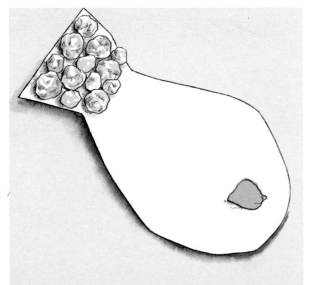

Des petites boulettes de papier argent sont collées sur la queue.

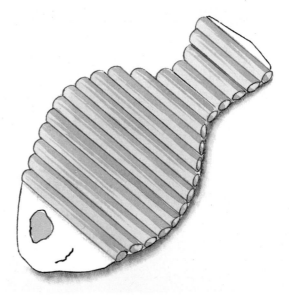

Les pailles sont découpées de manière à couvrir le poisson.

MAQUILLAGE MÉTÉO

Mets un tablier pour protéger tes habits et installe-toi devant une glace pour réaliser ce maquillage très original.

– Crayon noir pour le contour du nuage et des gouttes d'eau.
– Fard bleu pour l'intérieur du nuage et des gouttes d'eau.

– Crayon noir pour le contour du soleil.
– Fard jaune pour l'intérieur du soleil et pour les rayons.

– Crayon noir pour le contour et le manche du parapluie.
– Rouge à lèvres pour l'intérieur du parapluie.

Dessine les contours au crayon noir. N'appuie pas trop fort. Remplis les formes avec les fards. Repasse le crayon noir.

DES ŒUFS DE PÂQUES DÉGUISÉS

À Pâques, tu trouveras dans ton jardin ou dans ta maison des œufs en chocolat. Et si toi aussi tu préparais une surprise ?

Pour vider un œuf :
– Demande à une grande personne de percer un petit trou à une extrémité de l'œuf, un trou plus gros de l'autre côté.
– Souffle dans un de ces trous : le contenu de l'œuf sortira de l'autre côté.

– Nettoie l'œuf en le passant quelques secondes sous l'eau du robinet.

L'œuf cuisinier :
– Dessine au feutre le nez, les yeux, la bouche.
– Découpe la toque dans les bords d'une assiette en carton : tu coupes une petite bande et tu joins les deux côtés avec du ruban adhésif.
– Pour faire la moustache, colle sur l'œuf un morceau de coton que tu auras tourné entre tes doigts.

D'AUTRES IDÉES POUR LES ŒUFS

Pose tes œufs sur une série de godets en papier empilés les uns dans les autres pour qu'ils soient suffisamment épais.

Avec des feutres, dessine une jolie fleur sur ton œuf.

La princesse du soleil et de la lune a des cheveux de coton.

Découpe le chapeau du Chinois dans un rond de papier.

Transforme l'œuf en coccinelle avec des feutres rouges et noirs.

LA POULE ET SON POUSSIN

À Pâques, ne mange pas trop de chocolat ! Avec cette poule et ce poussin, tu ne risques pas d'être malade.

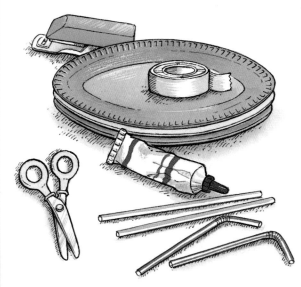

Il faut des assiettes en carton et des pailles droites et pliables.

Découpe queue, tête et corps dans les assiettes en carton.

La baguette et les pattes du poussin sont agrafées au carton.

Imagine une histoire pour faire parler la poule et son poussin.

TABLE DES MATIÈRES